Chloé et Rhys Moore 29.02.08

Qui
le c

GW00580198

Didier Jean et Zad • Mérel

Rachid le timide

Mélanie la chipie

Pacha le chat

Pascale la géniale

Arthur le gros dur

ES-tu prêt pour
une nouvelle aventure ?
Eh bien, commençons !

Ah, j'y pense!
les mots suivis
d'un ☼ sont
expliqués à la fin
de l'histoire.

Arthur le gros dur fait
les courses.

Dans la rue, il aperçoit une casserole
qui avance toute seule.

– Ça, c'est un coup de Mélanie
la chipie ! dit Arthur.

Qui a fait le coup ?

Justement, Mélanie arrive.

– Aaah ! crie-t-elle. Regarde, Arthur,
la casserole avance toute seule !

« C'est peut-être une invention
de Pascale la géniale », se dit Arthur.

Puisque ce n'est pas Mélanie,
alors qui est-ce ?

Justement, voilà Pascale.

– Oooh ! hurle-t-elle. Regardez !

Cette casserole marche toute seule.
Ça, c'est une farce de Pacha le chat.

– Mais non, dit Mélanie.

Pacha dort là-bas, sur la poubelle.

– Alors, c'est un tour de Gafi,

s'écrie Arthur !

Qui a fait le coup ?

Justement, Gafi arrive.

– Je n'ai rien fait du tout ! dit-il.

Tu veux connaître
la suite de l'histoire ?
Alors, suis-moi...

Gafi et ses amis se penchent
sur la casserole.
– Oh là là ! Il y a une pauvre tortue
coincée dessous, dit Gafi.
Aidez-moi à la sortir de là.

Gafi et ses amis ont réussi
à libérer la tortue.
— Elle est toute pâle, dit Pascale.
— Elle a peut-être une maladie,
dit Mélanie.

Qui a fait le coup ?

– Ou alors elle a faim ! dit Arthur.

– Elle mange quoi, cette tortue ?
demande Mélanie.

– De la pomme, propose Pascale.

– Peut-être des pommes de terre,
dit Arthur.

Et toi, sais-tu
ce que mange
une tortue ?

– Moi je sais, dit Gafi.

Les tortues mangent de la salade.
C'est bien connu !

– Oh ! génial, ma tortue !
Je l'avais égarée, s'écrie Rachid
qui arrive en vélo.

– Alors, Rachid, dis-nous ce que mange
ta tortue !

– Elle mange de la salade...

– Vous voyez, je vous l'avais dit !
s'écrie Gafi.

– Oui ! dit Rachid en rigolant.
Mais de la salade de fruits !

c'est fini !

Certains mots sont peut-être difficiles à comprendre. **Je vais t'aider !**

Invention : Pascale a fabriqué une nouvelle machine.

Farce : Pacha a fait une blague.

Pâle : la tortue est blanche ; elle semble malade.

Egarée : Rachid avait perdu sa tortue.

27

As-tu aimé mon histoire ?
Jouons ensemble, maintenant !

Quel chantier !

**Pacha le chat a tout mélangé !
Peux-tu remettre les images dans l'ordre
de l'histoire ?**

Réponse : b-c-a-e-d

28

Le mot caché

**Découvre le mot caché dans cette phrase.
Pour cela, repère les lettres soulignées
et mets-les dans l'ordre.**

G<u>a</u>fi et ses <u>a</u>mis <u>d</u>isent que

la tortu<u>e</u> e<u>s</u>t pâ<u>l</u>e.

Réponse : Le mot caché est « salade ».

Le jeu des erreurs

4 erreurs se sont glissées dans l'image n° 2. Retrouve-les !

Réponse : La couleur de la voiture ; les boutons des bretelles d'Arthur ; la couleur du nœud de Pascale ; Pacha.

C'est magique !

Pour lire la phrase écrite à l'envers, mets ton livre devant une glace. Tu verras, c'est magique !

Gati et ses amis ont réussi à libérer la tortue.

Dans la même collection
Illustrée par Mérel

Je commence à lire

Je lis

Je lis tout seul

Directeur de collection et conseil pédagogique :
Alain Bentolila

© Éditions Nathan (Paris-France), 2004
Conforme à la loi n°49956 du 16 juillet 1949
sur les publications destinées à la jeunesse
ISBN 978-2-09-250407-9
N° éditeur : 10138901 - Dépôt légal : février 2007
imprimé en Italie par Stige